BIBLIOTECA
Eva Furnari
DO avesso

LOLO BARNABÉ

EVA FURNARI

ilustrações da autora

2ª edição

DE ACORDO COM AS
NOVAS
NORMAS
ORTOGRÁFICAS

EIII Moderna

© EVA FURNARI, 2010
1ª EDIÇÃO 2000

≡III Moderna

COORDENAÇÃO EDITORIAL Maristela Petrili de Almeida Leite

EDIÇÃO DE TEXTO Carolina Leite de Souza

COORDENAÇÃO DE PRODUÇÃO GRÁFICA Ricardo Postacchini e Dalva Fumiko

COORDENAÇÃO DE REVISÃO Elaine Cristina del Nero

REVISÃO Nancy H. Dias

EDIÇÃO DE ARTE Ricardo Postacchini

PROJETO GRÁFICO Claudia Furnari

ILUSTRAÇÕES DE CAPA E MIOLO Eva Furnari

DIAGRAMAÇÃO Dagmar Rizzolo e Fernanda Ficher

COORDENAÇÃO DE BUREAU Américo Jesus

TRATAMENTO DE IMAGENS Pix Arte

PRÉ-IMPRESSÃO Helio P. de Souza Filho e Marcio H. Kamoto

COORDENAÇÃO DE PRODUÇÃO INDUSTRIAL Wilson Aparecido Troque

IMPRESSÃO E ACABAMENTO Lis Gráfica e Editora

Dados Internacionais de Catalogação na Publicação (CIP)
(Câmara Brasileira do Livro, SP, Brasil)

Furnari, Eva
    Lolo Barnabé / Eva Furnari; [ilustrações da autora]. – 2. ed. –
    São Paulo : Moderna, 2010. – (Série do avesso)

    Inclui suplemento para o professor.

    1. Literatura infantojuvenil I. Título. II. Série

10-03611   CDD-028.5

Índices para catálogo sistemático:
1. Literatura infantil 028.5
2. Literatura infantojuvenil 028.5

ISBN 978-85-16-06643-7

EDITORA MODERNA LTDA.
Rua Padre Adelino, 758 - Belenzinho
São Paulo - SP - Brasil - CEP 03303-904
Vendas e atendimento:
Tel. (0_11) 2790-1500 Fax (0_11) 2709-1501
www.moderna.com.br
2011
Impresso no Brasil

ESTE LIVRO É DEDICADO À BRISA.

No tempo em que as pessoas moravam em cavernas, existiu um homem chamado Lolo Barnabé.

No princípio, Lolo parecia ser um sujeito meio bronco. Com o tempo, porém, todos foram percebendo que ele tinha muitas qualidades: era inteligente, criativo, entusiasmado, cheio de ideias novas e nada preguiçoso.

Aos vinte anos Lolo casou-se com Brisa. Ela era um amor: gentil, carinhosa, bem-humorada e também superinteligente. É claro que eles tinham se casado por amor.

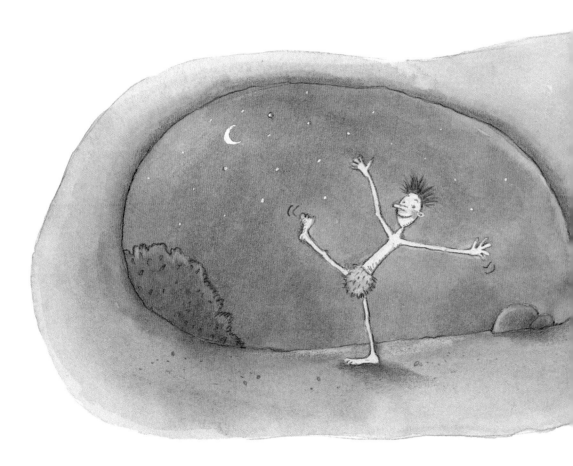

Depois de passar uma lua de mel maravilhosa nas Montanhas da Pedra Lascada, o casal escolheu a melhor caverna da região para morar e começou a vida do dia a dia.

No primeiro ano de casamento, tiveram um filho, o Finfo Barnabé. O menino era uma gracinha: alegre e brincalhão.

Toda noite, a família se reunia em torno da fogueira e assavam a carne. O filho, depois de comer, se aninhava no colo da mãe para escutar as histórias que os pais contavam.

No final, eles agradeciam à natureza o alimento e tudo o mais que tinham recebido e iam dormir. Eram muito felizes.

Eram felizes... mas nem tanto.

A caverna era fria e úmida e, além do mais, não tinha porta. Os ursos e as onças podiam entrar a qualquer momento. Para resolver esse problema, o casal decidiu construir uma casa com porta e fechadura.

Lolo, que era um sujeito habilidoso, fez um lindo sobradinho no alto do morro. Brisa queria que a casa fosse amarela e, como ele amava a esposa e queria vê-la feliz, inventou a tinta amarela.

Assim que a tinta secou, a família se mudou para lá.

Todos ficaram felizes... mas nem tanto.

Brisa não gostava mais de se vestir com peles de animais. Aquilo pinicava sua pele delicada.

Nessa ocasião ela teve uma ideia genial: faria roupas usando tecidos macios como o algodão e a lã. Começou pelo vestido, depois criou o sutiã, a calcinha, a camiseta e a bermuda.

Mais tarde foi a calça jeans, a camisa e a cueca de bolinhas. A parte dos calçados ficou com Lolo.

Todos estavam felizes... mas nem tanto.

As roupas ficavam jogadas pelo chão e Brisa detestava aquilo. Ela discutiu o problema com o marido e os dois, juntos, bolaram algo novo – um móvel com muitas portas e gavetas e belos puxadores cromados.

O nome da invenção não era muito criativo: *guarda-roupa*. Mas a coisa era boa, simples e prática. E Finfo adorou, pois, agora, tinha mais um lugar para brincar de esconde-esconde com o pai.

Todos ficaram felizes... mas nem tanto.

Lolo tinha feito uma bagunça danada para construir o guarda-roupa e Brisa ficou brava. Aí, então, ele inventou a vassoura, mas a esposa ficou mais brava ainda, quase lhe deu umas vassouradas. O marido não entendeu por quê.

Essa foi a primeira briga séria do casal. Depois disso, Lolo decidiu trabalhar fora de casa. Foi assim que surgiu a oficina.

Tempos depois, numa bela manhã, Brisa olhou para o pijama sujo do filho e achou que era hora de pararem de dormir no chão.

Lolo, que adorava desafios, foi logo pensando em algo novo. Será que uma coisa quadrada, com quatro pés embaixo e macia por cima seria a solução?

Correu para a oficina nova e fez um móvel adorável: a cama.
Uma de suas melhores invenções.

Todos ficaram felizes... mas nem tanto.

Eles almoçavam e jantavam em cima da cama e os lençóis,
cobertores e travesseiros ficavam imundos.

Então, Lolo fez a mesa.

Fez a mesa, mas não fez as cadeiras. Na hora do almoço, houve reclamações, pois era chato fazer a refeição em pé. Nesse dia, ele não comeu sobremesa, correu até a oficina para resolver o problema.

Construiu uma cadeira para cada um e foi um sucesso. A coisa era tão confortável que ele passou quinze minutos sentado.

Lolo andava trabalhando tanto que nem tinha tempo de aproveitar as próprias invenções.

De repente, lembrou-se de que era seu dia de apanhar a lenha para a fogueira do jantar. Deu-lhe uma preguiça danada. Será que não tinha um jeito mais prático de cozinhar?

Nesse dia, Lolo inventou o fogão a gás.

Todos ficaram felizes... mas nem tanto.

O fogão facilitava bastante o preparo das refeições, mas ainda precisavam apanhar água no rio, trazendo baldes pesados, um de cada vez.

Marido e mulher pensaram. Não tinha um modo mais fácil de fazer aquilo? Foi aí que inventaram a torneira e a água encanada.

E já que tinham inventado a água encanada, fizeram logo o banheiro para não ter de ir no mato à noite, sozinhos.

Lolo dedicou-se totalmente e o resultado compensou: o banheiro ficou maravilhoso!

Era moderno e tinha de tudo: sabonete, esponja, xampu, condicionador, papel higiênico, pente, escova, secador de cabelos, grampo, desodorante, algodão, cotonete, esparadrapo, lâmina e creme de barbear, loção pós-barba, batom, perfume, creme hidratante, talco, comprimidos para dor de cabeça.

Finfo adorou tudo o que o pai tinha inventado, menos a pasta e a escova de dentes.

No dia da inauguração oficial do banheiro, eles passaram horas fazendo caretas no espelho.

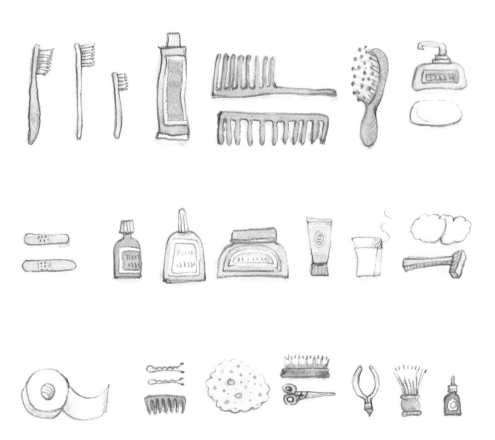

Lolo estava ficando com mania de inventar e isso dava muito trabalho. Não sobrava tempo de ficar com o filho. A mãe, então, resolveu ajudar o marido na oficina para que ele pudesse voltar mais cedo do trabalho.

Todos ficaram felizes... mas nem tanto.

Brisa e Lolo chegavam em casa cedo, beijavam o filho, mas depois ainda precisavam fazer o jantar, lavar a louça, a roupa, passar pano no chão. A casa deles, agora, era limpinha, confortável e tinha comida gostosa, mas era uma trabalheira sem fim.

Acharam que a solução definitiva era facilitar ainda mais as tarefas do lar. Dessa vez, eles inventaram os eletrodomésticos.

Micro-ondas, centrífuga, forninho, batedeira, sanduicheira.

Liquidificador, espremedor, aspirador de pó, computador.

Máquina de lavar roupa, louça, secadora, geladeira, *freezer*.

E, no fim de semana, quando, finalmente, eles iam descansar, perceberam que tinham esquecido de inventar a tomada. Lolo, então, trabalhou sábado e domingo sem descanso e, na segunda-feira, pôs tudo para funcionar.

Todos ficaram felizes... mas nem tanto.

De tempos em tempos, um ou outro aparelho encrencava e isso era uma dor de cabeça.

Eles tinham se acostumado com as maquinetas que faziam tudo e ficavam com preguiça de fazer trabalhos manuais.

Preguiça de lavar roupa no tanque, lavar a louça na pia, fazer maionese batendo ovos com o garfo, espremer laranjas etc.

Além do mais, agora, a família Barnabé era chique, elegante.

Lolo andava de terno e gravata, Brisa usava vestido de seda, salto alto, e Finfo usava gel no cabelo.

Eles não queriam mais andar de qualquer jeito, despenteados, sem perfume, com roupa amarrotada. Não ficava bem.

Foi por isso que Lolo acabou inventando o ferro de passar.

Essa foi sua pior invenção. O eletrodoméstico, além de não fazer o serviço sozinho, dava trabalho, queimava os dedos e corria o risco de incendiar a casa. Bem que Lolo tentou fazer algo parecido com uma máquina de lavar, onde bastava jogar a roupa dentro, apertar um botão e ela sairia passada. Mas não deu certo.

Lolo, então, entrou em crise. Ficou nervoso e inseguro.

Para provar para si mesmo e para sua família que continuava sendo um grande inventor, ele construiu algumas bobagens: o rádio, o ventilador, o abajur, o celular e o despertador.

Isso, porém, não foi suficiente. À noite, ele continuava preocupado com o fracasso do ferro de passar. No dia seguinte, foi cedo para a oficina e procurou fazer coisas alegres para esquecer o assunto. As invenções desse dia foram as mais divertidas.

Ele inventou brinquedos para o filho: bola, pipa, peteca, fantoche, estilingue, pião, ioiô.

Depois foi o cavalo de pau, a bicicleta, o patinete e, por fim, uma caixa especial, com imagens luminosas: a televisão. E no dia seguinte criou o *video game*. Finfo ficou superfeliz.

Lolo, porém, só esqueceu a insegurança uma semana depois, quando inventou um brinquedo para si mesmo: o carro.

Todos ficaram felizes... mas nem tanto.

Finfo brincava bastante, assistia a muita televisão, jogava um bocado de *video game*, comia uma porção de petiscos, mas continuava sentindo falta do pai e da mãe.

Todos os dias, por volta das quatro e meia da tarde, o garoto se deitava no carpete da sala e não fazia mais nada, apenas esperava a chegada dos pais.

Quando Brisa e Lolo vinham da oficina, Finfo estava louco para brincar, mas os dois chegavam tão cansados que não queriam saber de conversa.

Também não queriam preparar o jantar, pediam *pizza* por telefone. A família sentava-se em frente à televisão e não fazia mais nada.

Aquela caixinha luminosa tinha sido a invenção mais hipnotizante de Lolo. Eles não sabiam, mas ela tinha o estranho poder de deixá-los meio esquecidos.

Esqueciam de dormir, de conversar, de brincar, de se abraçar e, às vezes, até de fazer xixi.

Certa vez, no começo da noite, acabou a luz. Os aparelhos da casa pararam de funcionar e tudo ficou mergulhado numa grande escuridão. Eles não sabiam bem o que fazer.

Finfo, que estava acostumado com luz elétrica, correu assustado para junto da mãe. Por sorte, Brisa já tinha inventado as velas de aniversário e logo acendeu uma.

Lolo, então, falou para a mulher: "Vou criar o gerador". Brisa, porém, discordou do marido: "Lolo! Agora chega! Não precisa inventar mais nada, já temos coisas demais".

O marido insistiu: "Vou criar o gerador". A mulher continuou discordando. Lolo suspirou, bufou, reclamou, mas depois achou que ela tinha razão: "É verdade, já temos coisas demais".

Nessa noite, foram até o quintal e acenderam uma fogueira.

Ficaram olhando o fogo, pensando na vida.

Depois, Lolo contou uma história e Brisa contou outra. Finfo ouviu tudo aninhado no colo da mãe.

Eles estavam infelizes... mas nem tanto.

Lembraram-se, com alegria, de um costume bom e antigo: agradecer à natureza tudo o que dela recebiam.

fim

Sou o Núrcio, assistente e revisor da escritora Eva Furnari. Me desculpem, mas furou o pneu da minha lambreta e eu cheguei atrasado. não deu tempo de fazer a revisão deste livro e por isso ele saiu com dois erros:

1 O computador entrou na lista de eletrodomésticos. Sem comentários.

2. Ela não falou da internet, a invenção mais spamtacular de todas.

Espero que Seu Lolo não reclame.

FOFOCA DA NARICOTA Dizem que a autora se inspirou em seu assistente para dar nome a uma personagem: a Núrcia. Eu soube por fontes fidedignas que o Núrcio ficou magoado com isso. Não pelo fato de ela usar seu nome, mas pelo fato de ter usado numa bruxa.

Para informações sobre a autora consulte o *site*
www.evafurnari.com.br ou www.bibliotecaevafurnari.com.br